和朋友们一起想办法

拖拉机闯祸了

〔英〕加比·戈尔德萨克／著　〔英〕史蒂夫·斯莫尔曼／绘　柳　漾／译

长江出版传媒｜长江少年儿童出版社

如何帮助孩子做事不拖拉

亲爱的家长/老师，《和朋友们一起想办法》系列的《拖拉机闯祸了》讲述的是，农场里有很多活要干，弗瑞德先生为了快点干完，把拖拉机开到最快的速度，结果拖拉机闯祸了！"别担心，我有办法！"弗瑞德先生最终想办法完成了全部的工作。**我们如何结合故事内容，帮助孩子把握好做事的速度，并注意效率，既不拖拉也不丢三落四呢？**

一是家长要帮助孩子培养时间观念。孩子做事磨蹭，一定程度上是由于没有时间观念。家长可以通过自己和亲戚朋友的故事，现身说法让孩子明白时间是最宝贵的财富。也可以适当讲古今名人爱惜时间的故事，并张贴有关珍惜时间的名言警句以提醒孩子。此外，还应跟孩子讲明，由于他的拖拉给家长所带来的危害，孩子一旦明白了拖拉给父母造成的烦恼，往往就会积极改进。

二是制定日程表，规定好办事的时间。可以和孩子一起，制定一份包括每天穿衣、盥洗、吃饭、做作业的时间表，如果孩子能够按时完成，给予一定的奖励。家长也可以和孩子开展比赛，适当让孩子获胜。孩子为自己的进步而高兴，就会主动加快速度，并加强时间观念。同时，要引导孩子做事的技巧，以确保效率，并在孩子碰到困难时，给予及时的帮助。

三是拥有鼓励和奖赏的方法。当孩子做事情速度快时，及时给予表扬。孩子受到的表扬越多，对自己的期望就越高。当孩子做事磨蹭时，家长给予耐心和鼓励，而不要不断地催促，甚至是发脾气。家长要懂得，表扬和鼓励比批评和指责能更有效地激发孩子的积极性。

双管齐下改掉磨蹭的小毛病

家长可以双管齐下，一方面营造有利的环境，帮助孩子提高办事的效率；另一方面适当放手，偶尔让孩子承受必要的挫败。尽量给孩子创造独立、安静的空间，不要让孩子受到过多的干扰。比如吃饭时，不要开电视，家长也不要在旁边玩手机，全家安静地吃饭。比如孩子做作业之前，要把写字台上与学习无关的东西收起来，在做作业的过程中，家长不要干扰孩子的思路和专注力。

（故事爸爸、童书编辑　陈喜嘉）

请家长/老师在和小朋友一起阅读完故事后，引导孩子开展以下的阅读互动。

解决问题小达人加油站

小朋友，看完了《拖拉机闯祸了》，让我们来回忆一下故事吧，看看你还记得多少有趣的情节。

1. 你坐过拖拉机吗？你知道农场主弗瑞德先生为什么要把拖拉机开到最大速度吗？

2. 你见过奶牛吗？奶牛康妮为什么会掉到小溪里呢？

3. 小狗帕奇把绳子绑在什么地方呢？它为什么要这样做？

4. 农场主弗瑞德先生用了什么办法救出奶牛康妮呢？

如果让你想办法，你会用哪些办法救出康妮呢？（家长或老师也要想想办法，并且一定要记得对小朋友提出的建议给予鼓励和掌声呀！）

你解决问题的方法：

农场里有一大堆活儿等着干，看来今天可有农场主弗瑞德先生忙的了！

"看看今天需要完成的工作吧！"他的太太珍妮晃了晃手上一张长长的清单。

"别担心！"弗瑞德说，"有拖拉机帮忙，还没等你念完清单，我就全干完了！"

"过来，帕奇！"弗瑞德叫上尽心尽责的牧羊犬一起出发。

弗瑞德驾驶着拖拉机飞奔起来，他们的第一个任务是给第一牧场松土。

"汪汪，汪汪！"拖拉机飞速行进，帕奇一路欢呼。哇，拖拉机跑得太快了！

拖拉机接着驶向了第二牧场。老马哈利慢跑几步凑过来，想看看是谁这么吵。

哈利刚从篱笆后面探出头，拖拉机就飞快地开了过来，轮胎激起的泥浆溅得到处都是。

"嘶嘶！"哈利嘶叫着。"啪嗒啪嗒"，他身上也沾满了泥巴。

不过，弗瑞德什么也没听见，他已经准备完成下一个任务了。

嘶嘶！

不一会儿，弗瑞德就在拖拉机的拖车上装满了干草捆。

"奶牛很快就能吃上新鲜的干草了！"他笑着说。

弗瑞德开着拖拉机冲过一片草地，堆放在拖车里的干草颠簸得很厉害，帕奇跟在车后追赶着。

"汪汪，汪汪！"帕奇想提醒弗瑞德干草没放好。可是太晚了，好几捆干草掉出了拖车，有一捆眼看就要撞上奶牛康妮了。

"哞哞！"可怜的康妮为了躲避干草捆，跳进了小溪里。

哞哞！

"工作都完成了。今天的速度可是创下新纪录了！"

弗瑞德说着话回到了院子里，"咦，大家都上哪儿去了？"

他看看院子四周，一个动物的影子都没见着。

这时，帕奇跑进院子。"汪汪，汪汪！"他大声叫嚷着。

"怎么啦，帕奇？"弗瑞德奇怪地问，"你知道大伙去哪儿了？"

接着，他跟着帕奇出了院子。

原来，老马哈利、小猪波莉、小羊莎莉，还有母鸡海蒂都站在小溪边。

弗瑞德也来了，看到康妮被困在小溪里，他真不敢相信自己的眼睛。

别担心，我有办法！

"我的天哪！"弗瑞德喘了口气，"你怎么掉下去的啊？"

"哞哞！"康妮有些生气地抱怨着。

"别担心！"弗瑞德一点儿也不着急，"我有办法！"

　　弗瑞德走进了储物间。不一会儿，里面传来一阵"乒乒乓乓"的声音，动物们一个个都好奇地围了过来。

　　"哎呀！"母鸡海蒂咯咯地说，"天知道弗瑞德先生这次又会做什么！"

"只要能把康妮赶紧救出来就好！"小猪波莉说，"大家都知道，只要康妮不开心，她的牛奶就会变酸。"

就在这时，储物间的门开了。弗瑞德走了出来，他使劲拉着一艘……

"充气式奶牛救生船！"弗瑞德得意地说。接着，他把救生船拖到小溪边。

老马哈利和其他动物跟在后面，始终和他保持一段安全的距离。

几分钟后，弗瑞德的"充气式奶牛救生船"下水了，他忙着招呼康妮爬上救生船。

大家看到康妮在救生船上晃来晃去，都屏住了呼吸。

慢慢地，康妮跟着救生船漂浮起来。突然，救生船"嘭"的一声撞到什么东西，接着是一阵低沉的嘶嘶声。

嘶嘶！

很快，救生船沉了下去！

"帕奇！"母鸡海蒂着急地咯咯叫着，"我们必须救救可怜的康妮！"

"我本来可以把她拉上来的。"老马哈利叹了口气，"不过，我已经老了……"

"现在唯一能救她的是弗瑞德先生的拖拉机啦！"小猪波莉咕哝着。

"帕奇，你必须告诉弗瑞德先生！"小羊莎莉咩咩叫着，"他总是听你的！"

　　帕奇跑近拖拉机。

　　"汪汪，汪汪！"他叫着跳上了拖拉机。

　　"怎么啦，帕奇？"弗瑞德挠了挠头，"我现在没时间开拖拉机了，我得想办法修一修'充气式奶牛救生船'！"

"汪汪，汪汪！"帕奇咬起绳子的一端绑在拖拉机车尾。

　　"有了！我有一个更好的办法！"弗瑞德叫喊着，"我知道怎么救康妮了！"

弗瑞德把拖拉机开到小溪边，并把绳子的另一端系在救生船上。

　　"这真是太危险了！"母鸡海蒂捂住了自己的眼睛。

　　"可怜的康妮！"老马哈利摇摇头嘟囔着，他的头上沾满了泥巴。

这次，弗瑞德小心翼翼地驾驶着拖拉机把救生船拉上岸。最后，奶牛康妮安全地回到了草地上，大家一起欢呼起来。

随后，弗瑞德站在农场的院子里，高兴地勾画着清单。"看！"他把清单展示给珍妮看，"我完成了所有的工作……"

"对了，还得谢谢拖拉机！没有它，老马哈利就洗不成澡，奶牛康妮也救不出来！"

珍妮看着帕奇，笑了起来。

图书在版编目（CIP）数据

拖拉机闯祸了/〔英〕戈尔德萨克著；〔英〕斯莫尔曼绘；柳漾译. 一武汉：长江少年儿童出版社，2014.10
（和朋友们一起想办法）
书名原文：Tractor trouble
ISBN 978-7-5560-1485-9

Ⅰ.①拖… Ⅱ.①戈… ②斯… ③柳… Ⅲ.①儿童文学 - 图画故事 - 英国 - 现代 Ⅳ.①I561.85

中国版本图书馆CIP数据核字（2014）第219002号

拖拉机闯祸了

[英]加比·戈尔德萨克/**著** [英]史蒂夫·斯莫尔曼/**绘** 柳 漾/**译**
出 品 人/刘 霜
策划总监/吕心星 策划编辑/陈喜嘉
责任编辑/崔如梅 陈喜嘉
设计总监/王 中 装帧设计/胡馨予
出版发行/**长江少年儿童出版社**
策划出品/心喜阅信息咨询（深圳）有限公司
经销/全国新华书店
印刷/恒美印务（广州）有限公司
开本/787×1092 1/12 2.5印张
版次/2020年6月第1版第40次印刷
书号/ISBN 978-7-5560-1485-9
定价/9.00元

Tractor Trouble

本书中文简体字版权经 Parragon Publishing (China) Limited 授予心喜阅信息咨询（深圳）有限公司，由长江少年儿童出版社独家出版发行。
版权所有，侵权必究。

咨询热线/0755-82705599 销售热线/027-87396822
http://www.lovereadingbooks.com